Rosette Poletti
Barbara Dobbs

L'estime de soi

Un bien essentiel

Des mêmes auteurs

Plénitudes, 2007
Se désencombrer de l'inutile, 2008
Ressources, 2006
Accepter ce qui est, 2005
La compassion pour seul bagage, 2004
Des pensées pour grandir, 2004
Vivre son deuil et croître, 2003
Prendre soin de soi pour prendre soin de l'autre, 2003
Donner du sens à sa vie, 2002
La résilience, 2001
Lâcher prise, 1999

Collection Pratiques Jouvence

Apprendre à s'aimer, Pierre Pradervand, 2006
Vivre avec ses peurs, Chantal Calatayud, 2005
S'aimer tel que l'on est, Chantal Calatayud, 2004
Scénario de vie gagnant, Christel Petitcollin, 2003
La réconciliation, Bernard Raquin, 2003
La vie simple, Pierre Pradervand, 1999
Gérer ses émotions, O. Nunge et S. Mortera, 1998
Croire en soi, Marie-France Muller, 1997
Oser parler en public, Marie-France Muller, 1997

Catalogue gratuit sur simple demande

Éditions Jouvence
France : BP 90107 – 74161 St Julien-en-Genevois Cedex
Suisse : CP 184 –1233 Genève/Bernex
Site internet : **www.editions-jouvence.com**
Email : info@editions-jouvence.com

Illustration de couverture : Jean-Claude Marol
Maquette & mise en pages : Hans Weidmann

ISBN 978-2-88353-150-5

Remerciements

Nous désirons remercier ici Marguerite Bessard, Louise Malacket et Denise Paratte pour leur précieuse collaboration ainsi que tous les participants aux sessions organisées par Formation-Transformation *qui ont partagé avec nous leur quête vers une meilleure estime d'eux-mêmes.*

Sommaire

Introduction

“Un jeune Indien se promenait seul dans la forêt. Il trouva un œuf d'aigle. Croyant qu'il s'agissait d'un œuf de poule de prairie, il le déposa dans un nid de poule de prairie.

L'oisillon vint au monde entouré de poules. Il se mit à marcher comme une poule, caqueter comme une poule, picorer comme une poule.

Un beau jour de printemps, le jeune oiseau vit une chose magnifique, c'était un immense oiseau qui s'élevait en planant dans les airs, avec une grande élégance. « Qu'est-ce que c'est que cet oiseau ? », demanda le petit aigle élevé parmi les poules de prairie. « C'est un aigle, l'oiseau le plus beau de tous les oiseaux ! » Le petit aigle songea au privilège que ce devait être de pouvoir ainsi voler avec tant de grâce. Mais comme il savait qu'il ne pourrait jamais être un aigle, le jeune oiseau oublia rapidement son rêve.

Il vécut toute sa vie et mourut croyant qu'il était une poule de prairie.”

Conte du folklore
des Indiens d'Amérique

Combien d'humains ressemblent à ce petit aigle ! Ils possèdent un potentiel extraordinaire, ils ont des capacités inexploitées, des dons, des talents dont la société pourrait profiter et qui leur permettraient de se réaliser. Malheureusement, ils sont nés dans un nid où il n'y avait personne de grand à imiter. Ils ont même reçu des messages qui ont inhibé l'amour qu'ils auraient pu avoir pour eux-mêmes, la confiance en eux-mêmes qu'ils auraient pu développer.

A cause de cela, ils vivent une vie qui ne les satisfait pas, ils éprouvent une immense nostalgie pour quelque chose d'autre, quelque chose de plus harmonieux, de plus valable.

Manquant d'estime d'eux-mêmes, ils survivent, parfois douloureusement et transmettent souvent à leurs enfants des messages négatifs dont ils n'ont pas mesuré l'importance.

Le but de ce petit ouvrage est de mettre en évidence ce qu'est l'estime de soi, comment elle se crée, l'importance des parents et de l'entourage de l'enfant pour le développement de l'estime de soi. Il a aussi pour but de mettre en lumière les éléments de l'estime de soi chez l'adulte ainsi que de présenter des moyens de l'améliorer.

Nous espérons beaucoup que ce petit livre puisse être utile à ceux qui le liront et qu'il contribue à répondre à certaines interrogations concernant cet aspect essentiel de la vie : l'estime de soi, source de joie dans la vie.

Déclaration d'estime de soi

Dans tout l'univers, il n'y a pas une autre personne qui soit exactement semblable à moi. Je suis moi et tout ce que je suis est unique.

Je suis responsable de moi-même, j'ai tout ce qu'il me faut ici et maintenant pour vivre pleinement.

Je peux choisir de manifester le meilleur de moi-même, je peux choisir d'aimer, d'être compétent, de trouver un sens à ma vie et un ordre à l'univers, je peux choisir de me développer, de croître et de vivre en harmonie avec moi-même, les autres et Dieu.

Je suis digne d'être accepté et aimé exactement comme je suis, ici et maintenant.

Je m'aime et je m'accepte, je décide de vivre pleinement dès aujourd'hui.

1 Qu'est-ce que l'estime de soi ?

Le niveau d'estime de soi que manifeste une personne influence tout ce qu'elle dit, tout ce qu'elle pense, tout ce qu'elle fait.

Très vite, il est possible de reconnaître une personne qui a une haute estime d'elle-même car elle jouit de la vie, elle est ce qu'elle veut être et fait ce qu'elle veut faire, elle est capable de prendre la responsabilité de sa vie sans blâmer les autres et sans chercher d'excuses.

Au contraire, une personne qui a peu d'estime d'elle-même rencontre d'innombrables difficultés dans sa vie personnelle, relationnelle et professionnelle. Elle se sent inadéquate, coupable, peu sûre d'elle-même.

L'estime de soi n'est jamais totalement présente ou totalement absente, chaque personne se situe quelque part sur une échelle imaginaire qui va de zéro à cent. Il est impossible d'avoir une absence totale d'estime de soi ou une présence totale d'estime de soi en toutes circonstances.

Bien qu'il soit difficile de définir simplement l'estime de soi, il est admis actuellement qu'elle comprend deux aspects complémentaires:

- d'une part, *la perception d'une compétence personnelle*;
- d'autre part, *la conviction intime d'avoir de la valeur en tant que personne.*

En d'autres termes, nous pourrions aussi dire que l'estime de soi parle de l'être et de l'agir.

L'estime de soi reflète le jugement que nous portons sur notre capacité de faire face aux défis de la vie, de comprendre et de maîtriser les problèmes ainsi que sur le fait d'accepter pour nous-même le droit au bonheur, à la joie, à l'affirmation de notre existence et de notre importance en tant qu'être humain unique et irremplaçable.

Avoir une bonne estime de soi, c'est se percevoir compétent et digne de respect.

Avoir une mauvaise estime de soi, c'est ne pas se sentir digne de vivre pleinement, c'est croire que l'on n'est «pas assez bien».

La plupart des gens fluctuent entre une bonne et une mauvaise estime d'eux-mêmes selon les circonstances. Certains ont une bonne estime de leurs compétences, mais ne se sentent pas dignes d'être aimés. D'autres se sentent dignes d'être aimés et ne se sentent pas compétents. L'estime de soi est toujours une affaire de «degrés», elle est mouvante.

Plus une personne s'estime elle-même, plus elle peut utiliser sa créativité dans son travail, plus elle instaure des relations interpersonnelles positives, plus elle traite les autres avec respect, et moins elle se sent menacée par eux.

Plus l'estime de soi est présente, plus il y a de possibilités de vivre dans la joie.

Lorsque nous atteignons l'âge adulte, l'estime de soi est une expérience qui prend sa source dans la partie la plus profonde de nous-mêmes. Elle repose sur ce que nous pensons à propos de nous-mêmes, sur la manière dont nous nous voyons, sur ce que nous ressentons par rapport à la personne que nous sommes.

Tous les enfants n'ont pas le privilège de développer une bonne estime d'eux-mêmes et, devenus adultes, ils cherchent, souvent en vain, quelqu'un ou quelque chose qui pourrait leur donner cette estime d'eux-mêmes qui leur manque tellement.

Le problème, c'est qu'une fois devenus adultes, la construction de leur estime d'eux-mêmes devient leur affaire, leur responsabilité, personne d'autre ne peut leur « faire ressentir » qu'ils sont dignes d'être aimés et compétents, c'est un travail de développement personnel qu'eux seuls peuvent accomplir.

Lorsqu'une personne a une authentique haute estime d'elle-même, elle cesse d'être constamment en compétition avec les autres, elle ne se compare plus aux autres. Elle est en paix et en harmonie avec elle-même. Elle est prête à répondre d'une manière positive aux défis de la vie.

Nous confondons parfois: haute estime de soi et orgueil ou arrogance; il est utile de bien clarifier cela. Une personne qui a une bonne estime d'elle-même n'est pas arrogante, elle n'est pas orgueilleuse non plus. Elle n'a pas besoin de se surestimer ou de sous-estimer les autres, elle est profondément consciente de sa propre valeur et de celle de chaque être humain, elle n'a pas besoin de se mettre en avant en écrasant les autres ou en leur portant ombrage.

Une personne qui a une bonne estime d'elle-même ne se surévalue pas non plus. Elle est consciente de ses limites, lucide concernant ses capacités, elle accepte les critiques qui peuvent lui être utiles.

> *L'estime de soi n'a rien à voir avec l'argent que vous avez ou que vous gagnez, avec votre réputation, votre carrière, votre race, votre apparence, les habits que vous portez, votre religion, votre niveau d'instruction, ce que vous possédez, votre sexe, l'endroit où vous vivez...*
>
> *L'estime de soi est quelque chose de très simple, c'est le respect que vous avez et que vous ressentez pour vous-même.*
>
> WILLIAM J. MCGRANE

Bref questionnaire destiné à prendre conscience de son niveau d'estime de soi

	VRAI	FAUX
① J'admets mes erreurs	☐	☐
② J'ose aller vers des gens inconnus	☐	☐
③ Je peux maintenir mes valeurs lorsque les autres ne les approuvent pas	☐	☐
④ Je peux accepter facilement un compliment	☐	☐
⑤ Je peux être moi-même au milieu des autres	☐	☐
⑥ Je m'accepte avec mes faiblesses	☐	☐
⑦ Je peux parler de mes forces	☐	☐
⑧ Je me réjouis des succès des autres	☐	☐
⑨ Je ne me compare pas aux autres	☐	☐
⑩ Je me sens paisible	☐	☐
⑪ J'accepte les différences entre les autres et moi	☐	☐
⑫ Je suis capable de m'affirmer	☐	☐
⑬ J'exprime ouvertement mon amour ou mon affection pour les autres	☐	☐
⑭ Je m'aime et j'apprécie ma compagnie	☐	☐
⑮ J'accepte toutes mes émotions	☐	☐
⑯ Je crois que je suis unique	☐	☐
⑰ J'aime être seul avec moi-même	☐	☐
⑱ Je me donne le droit d'être spontané	☐	☐

Puis faites le compte de vos réponses.
Plus vous avez de réponses « vraies »,
plus vous avez d'estime de vous-même.

Les effets d'une bonne estime de soi

Lorsqu'une personne a une bonne estime d'elle-même, elle manifeste un certain nombre de caractéristiques qui sont essentielles pour une vie épanouie et sereine.

Voici ces différentes caractéristiques :

① La personne s'accepte en tant qu'être humain en évolution. Elle sait qu'elle est en route, en développement, qu'elle n'est pas parfaite et que cela n'enlève en rien de son importance en tant que personne. Elle n'a pas honte de ce qu'elle est, de ses erreurs ou de ses manquements.

② Elle cherche à se connaître toujours mieux, à évoluer, à communiquer avec efficacité.

③ Elle accepte de revoir ses certitudes, de questionner ses croyances tout en les honorant et en honorant celles des autres.

④ Elle est désireuse d'entrer en contact avec les autres et d'apprendre à les connaître ainsi que le monde qui l'entoure.

⑤ Elle a des buts clairs pour sa vie et trouve les informations et l'aide qui lui sont utiles pour les atteindre.

⑥ Elle sait faire la différence entre les faits, les interprétations et les émotions. Elle assume la responsabilité de ses interprétations et de ses émotions.⑦ Elle est capable de vivre dans l'instant présent sans perdre de vue le contexte général.

⑧ Elle est consciente des valeurs qui la guident et de leurs racines, elle n'est pas dirigée par des valeurs irrationnelles acceptées par son entourage.

En résumé, une personne qui a une bonne estime d'elle-même est en harmonie avec elle-même et avec le monde qui l'entoure. Elle est capable de vivre pleinement.

Un haut niveau ou un bas niveau d'estime de soi sont des aspects si importants de la vie que nous pouvons probablement dire que, mis à part les problèmes biologiques ou physiologiques, toutes les autres difficultés de la vie sont reliées peu ou prou à une mauvaise estime de soi : qu'il s'agisse d'anxiété, de dépression, d'alcoolisme, de dépendance des drogues ou des médicaments, de mauvais résultats scolaires, d'abus sexuels ou de violence conjugale, d'immaturité émotionnelle, ou de suicide, tous ces problèmes comprennent un élément de mauvaise estime de soi. **Sans une bonne estime de soi, il n'y a pas de vie de qualité.**

L'estime de soi n'empêche pas les difficultés de la vie, elle n'empêche pas les pertes, les deuils, les manques, les regrets, les échecs, elle permet simplement d'y faire face autrement. Selon que nous avons ou non une bonne estime de nous-même, nous parcourons un cycle positif ou négatif qui peut être représenté de la manière suivante :

Un cercle vicieux ou Un cercle positif

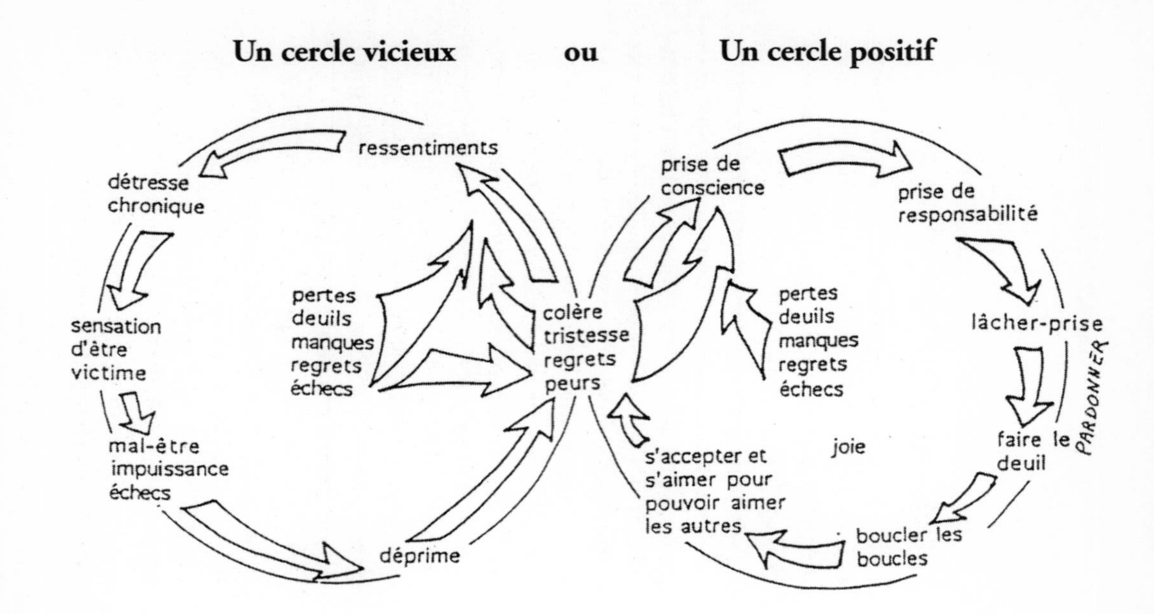

Dans les deux cercles, nous voyons les difficultés que la vie nous réserve: pertes, manques, deuils et échecs. Ces expériences suscitent des émotions bien normales: colère, tristesse, regrets, peurs (entre les deux cercles). Le point capital est ce que la personne peut faire de ces émotions.

- Elle peut entrer dans le cercle de gauche et cultiver le ressentiment, aller vers la détresse chronique, se percevoir comme une victime du destin; elle peut éprouver du mal-être et de l'impuissance, se sentir déprimée ou désespérée.
- Il lui est possible aussi d'opter pour un autre chemin et d'entrer dans le cercle de droite, le cercle positif. Là, à partir des émotions ressenties, elle peut prendre conscience de ce qu'elle vit, de ses ressources, de ses difficultés, elle peut assumer la responsabilité de son interprétation des événements, de son attitude et de ses comportements. Elle peut apprendre à lâcher prise de ce qui cause sa souffrance, faire le deuil de ce qu'elle doit abandonner, pardonner, « boucler les boucles» et finalement s'accepter et s'aimer pour pouvoir librement accepeter et aimer les autres.

C'est dans ce deuxième cercle, le cercle positif que peut entrer une personne ayant une bonne estime d'elle-même.

Face aux difficultés de la vie, aux pertes, aux changements, la personne qui a une bonne estime d'elle-même prend la responsabilité de ce qu'elle ressent. Elle ne dit pas: «Il m'a mise en colère!»

«Elle a brisé ma vie!» mais plutôt: «Je me suis mis en colère à cause de ce qu'il a fait!», «Je choisis de laisser cette personne briser ma vie!», «J'éprouve de la tristesse quand je pense à lui!»

Prendre conscience de ses émotions face aux situations et en assumer la responsabilité permet de faire le deuil, de lâcher prise et parfois de pardonner, de terminer les situations. Tout cela permet de s'accepter, de s'aimer et de pouvoir aimer les autres et par là d'augmenter encore son estime de soi.

Au contraire, lorsqu'une personne a une mauvaise estime d'elle-même, elle ne prend pas la responsabilité de ce qu'elle ressent, elle blâme l'entourage, éprouve du ressentiment. Elle se sent mal à l'aise, impuissante, et très vite, elle a la sensation d'être une victime, de ne pas disposer des moyens de sortir de son marasme. Elle peut aller d'échec en échec et entrer dans la dépression ou être atteinte de mal-être chronique ou de maladies.

Développer l'estime de soi est important car:

« Ce à quoi l'esprit donne de l'attention, l'esprit le considère.

Ce que l'esprit ne considère pas, l'esprit le laisse de côté.

Ce que l'esprit considère continuellement, l'esprit le croit et le prend au sérieux.

Ce que l'esprit croit et prend au sérieux, l'esprit finit par l'accomplir. »

AUTEUR INCONNU

2 Les sources fondamentales de l'estime de soi

L'importance de l'estime de soi est incommensurable, comme nous l'avons vu.

La question cruciale à se poser est:

Comment élever un enfant de manière à ce qu'il ait une bonne estime de lui-même?

Eric Berne, le fondateur de l'analyse transactionnelle a identifié trois soifs fondamentales manifestées par l'enfant et que ses parents – ou tout autre adulte qui prend soin de lui – sont censés étancher.

L'enfant, comme l'adulte et l'adolescent, ont besoin de *stimulations*, de *reconnaissance* et de *structures*.

Les enfants ont besoin d'être touchés, ils ont besoin que nous fassions attention à eux et que nous prenions soin d'eux. Privés de soins, ils ne se développent pas.

L'attention qui leur est donnée répond à leur soif de reconnaissance, d'être reconnus et le fait d'être touchés, pris dans les bras, répond à leur soif de stimulations.

C'est à travers ces soins attentifs et ce soutien que l'enfant comprend qu'il est important et qu'il est aimé.

Un enfant a également besoin de structures, de certitudes. Il a besoin de se sentir en sécurité et de pouvoir faire confiance aux adultes qui l'entourent ; il a besoin de construire sa propre structure intérieure et, pour cela, il doit avoir des limites souples et d'autres fermes qui l'aident à se construire intérieurement.

L'enfant a besoin de savoir qu'il y a des règles non-négociables qui ont trait à sa sécurité. En enseignant ces limites, les parents donnent à l'enfant des informations précieuses à propos de lui-même et de l'environnement. Ils lui permettent d'intérioriser la nécessité de se soumettre à certaines règles qui favorisent la vie en société.

Ces trois soifs, lorsqu'elles sont prises en considération par les parents, représentent les fondations de l'estime de soi.

En répondant aux trois soifs mentionnées ci-dessus, tout au long du développement de l'enfant, les parents lui donnent aussi d'innombrables autres messages. Ils lui servent de modèle, car l'enfant apprend en imitant, ils lui disent beaucoup de choses, ils parlent de lui à d'autres personnes, ils le félicitent ou le blâment tout au long de la journée.

Différents auteurs, tels que Pamela Levin et Jean I. Clarke ont identifié les messages positifs qui permettent le développement optimum de l'estime de soi. Lorsqu'ils sont dits avec sincérité et amour, ces messages sont très puissants.

Chaque étape du développement de l'enfant est accompagnée de messages.

Ces messages ne sont pas toujours ou uniquement donnés verbalement. Ils peuvent être transmis par la manière dont les parents et les proches de l'enfant se comportent avec lui, par la manière dont ils vivent leur vie et leurs relations interpersonnelles.

La manière dont un enfant est regardé, touché, nourri, changé, porté lui permet de comprendre très rapidement l'intérêt que lui portent ceux qui l'entourent.

Messages à l'enfant de la conception à la naissance (*période prénatale du « devenir »*)

Bien entendu, l'essentiel est que l'enfant soit désiré ou en tout cas accepté alors qu'il se développe dans le sein maternel, c'est aussi que la mère prenne soin d'elle et que le père soutienne et protège la mère durant cette période.

A l'heure actuelle, nous savons que le fœtus reconnaît la voix de son père et de sa mère et qu'il est important de lui parler. Voici les messages importants à donner au fœtus :

> « Je suis heureuse que tu sois vivant. »
> « Tes besoins et ta sécurité sont importants pour moi. »

« Nous sommes connectés et tu es un être complet. »
« Tu peux naître quand tu seras prêt. »
« Ta vie est à toi. »
« Je t'aime comme tu es. »

Messages à l'enfant de la naissance à 6 mois *(période de l'« être »)*

Durant cette période si importante, l'enfant apprend à créer un nouvel attachement avec sa mère maintenant qu'il est né, il apprend à faire confiance, il « décide » de vivre, d'être en réponse aux soins constants, compétents et aimants de ceux qui l'entourent.

Ses parents ou ceux qui prennent soin de lui doivent penser pour lui, répondre à ses besoins ; ils doivent le toucher, le regarder, lui parler, chanter pour lui. Ils doivent surtout être responsables, constants et aimants.

Les messages importants à donner durant cette période de développement sont les suivants :

« Je suis heureux que tu sois là. »
« Tu as ta place ici. »
« Tes besoins sont importants pour moi. »
« Je suis heureux que tu sois qui tu es. »
« Tu peux grandir à ton rythme. »
« Tu peux ressentir tout ce que tu ressens. »
« Je t'aime et j'aime prendre soin de toi. »

Messages à l'enfant de 6 à 18 mois *(période du «faire»)*

Cette période de la vie d'un enfant est extrêmement importante pour le développement de sa capacité à faire confiance aux autres et à ses sens, à oser explorer, être créatif et actif tout en étant soutenu dans ses démarches.

C'est à travers ces découvertes que l'enfant de 6 à 18 mois développe sa confiance en lui et que son estime de lui-même continue à se construire.

Il apprend à signaler ses besoins, il continue à développer un attachement sûr avec ses parents, il découvre des options, développe son esprit d'initiative soutenu par son environnement. Les messages qui lui sont les plus utiles à cette période sont:

> «Tu peux explorer et expérimenter et je te protégerai!»
> «Tu peux utiliser tous tes sens.»
> «Tu as le droit de savoir ce que tu veux savoir.»
> «Tu peux t'intéresser à tout.»
> «J'aime te voir croître et apprendre.»
> «Je t'aime quand tu es actif et je t'aime quand tu es tranquille.»

Messages à l'enfant de 18 mois à 3 ans

Pour aller vers son autonomie, l'enfant de 18 mois à 3 ans a besoin d'apprendre à penser et à résoudre des problèmes, à s'exprimer et à gérer ses émotions.

Il a besoin de tester des limites et de se confronter aux autres, d'obéir à des ordres simples comme : « Viens ici, reste là, va là-bas, arrête ».

Il a besoin d'exprimer sa colère et de prendre conscience qu'il n'est pas le centre de l'univers.

Ceux qui l'entourent ont des responsabilités nouvelles comme : donner des limites raisonnables et les faire respecter. Ils ont à célébrer la capacité de penser de l'enfant, à accepter ses sentiments positifs et négatifs, à enseigner à l'enfant à penser aux sentiments des autres.

L'un des grands défis pour les parents et l'entourage consiste à éviter les situations où l'un gagne et l'autre perd et à enseigner les bases de la négociation.

Par tous les moyens, les parents et l'entourage de l'enfant doivent éviter de dévaloriser l'enfant, de l'humilier ou de lui faire honte. Ces trois actions sont fréquemment à la base d'une mauvaise estime de soi.

Les messages les plus utiles à donner à l'enfant sont :

> « Je suis heureux que tu réfléchis ».
> « J'accepte que tu exprimes ta colère et je ne te laisserai pas te faire du mal ou faire du mal aux autres. »
> « Tu as le droit de dire non et de tester les limites autant que tu le veux. »
> « Tu as le droit de penser et de ressentir en même temps. »

«Tu as le droit de savoir ce que tu veux et de demander de l'aide.»

«Tu as le droit de te séparer de moi et je continuerai à t'aimer.»

Messages à l'enfant de 3 à 6 ans
(période du développement de «l'identité» et du «pouvoir»)

Durant ces trois années, l'enfant va apprendre énormément, il va établir son identité, comprendre comment avoir de l'influence sur les relations qu'il établit avec les autres.

Il apprend que tout comportement a des conséquences, qu'il y a beaucoup d'avantages à se comporter d'une manière socialement acceptable, il découvre le monde, il découvre son corps et le rôle réservé aux personnes de son sexe.

Si ses parents et ceux qui l'entourent ont une bonne estime d'eux-mêmes, il apprend comment développer la sienne.

Les messages qui lui sont utiles sont:

«Tu as le droit d'explorer qui tu es et d'apprendre qui sont les autres.»

«Tu as le droit de prendre ton pouvoir et aussi, en même temps, de demander de l'aide.»

«Tu as le droit d'essayer différents rôles et manières d'être puissant.»

«Tu as le droit d'apprendre les conséquences de ton comportement.»

« J'accepte tous tes sentiments. »

Il apprend de ses erreurs, il apprend à écouter, il expérimente la possibilité de faire et de penser, il découvre les structures existant hors de la famille.

A ce stade-là, il a besoin des messages suivants :

« Tu as le droit de penser avant de dire oui ou non et d'apprendre de tes erreurs. »

« Tu as le droit de faire confiance à ton intuition pour t'aider à décider. »

« Tu as le droit de découvrir un moyen de faire les choses qui fonctionnent pour toi. »

« Tu as le droit d'apprendre les règles qui t'aideront à vivre avec les autres. »

« Tu as le droit d'apprendre à voir ce qui est réel et ce qui ne l'est pas. »

« J'aime la personne que tu es. »

Messages à l'enfant de 6 à 12 ans
(période de développement de sa structure)

Cette période est particulièrement cruciale pour le développement de l'estime de soi. C'est le moment où l'enfant construit sa structure interne, où il comprend les règles et leur importance et surtout où il développe de multiples compétences et intègre de multiples savoirs.

« Tu as le droit d'apprendre quand et comment être en désaccord. »

« Tu as le droit de demander de l'aide. »

«Je t'aime même quand tu n'es pas d'accord avec moi.»
«J'aime grandir avec toi.»

Messages à l'adolescent de 12 à 19
(période de développement de son identité, sa sexualité et sa capacité à se séparer de ses parents)

Cette période est fondamentale et difficile tout à la fois. Il s'agit pour l'adolescent d'émerger graduellement en tant que personne séparée et indépendante ayant ses propres valeurs, compétente et responsable de ses propres besoins, sentiments et comportements.

C'est en continuant à offrir de l'amour, de la protection et de la sécurité que les parents peuvent faciliter la croissance de leur enfant. Ils doivent confronter les comportements inacceptables, poser des limites claires en ce qui concerne la drogue et la sexualité, tout en encourageant le développement de l'indépendance.

Les messages utiles à cette étape sont les suivants:

«Tu as le droit de savoir qui tu es et de devenir indépendant.»
«Tu as le droit de développer tes propres intérêts et tes propres relations.»
«Tu as le droit d'apprendre à utiliser d'anciennes manières de faire en les adaptant.»

«Tu as le droit de devenir pleinement homme ou femme et, cependant, d'être encore dépendant à certains moments.»
«Je me réjouis de te connaître en tant qu'adulte.»
«Mon amour t'accompagne, je te fais confiance, tu peux demander mon soutien si tu en as besoin.»

Comment donner tous ces messages ?
Il est certain que ce n'est pas suffisant de dire tout cela à un enfant s'il ne sent pas au quotidien, dans la manière dont nous lui parlons, dont nous prenons soin de lui, dont nous le soutenons, une cohérence entre ce qui est dit et ce qui est démontré. L'attitude, le comportement sont encore plus importants que les paroles.

Les Chinois ont un proverbe qui dit bien cela: «Ce que tu es crie tellement fort que je n'entends pas ce que tu dis». En d'autres termes, l'exemple est essentiel.

Cependant, tous les messages ci-dessus ont une grande importance. Selon l'âge de leur enfant, les parents peuvent apprendre les messages à donner, ils peuvent les mettre bien en vue, ils peuvent les écrire sur de petits ronds de carton de couleur, les mettre dans une corbeille près du lit de l'enfant et chaque soir, lors du coucher, lui suggérer de choisir un rond de carton au hasard et le lui lire à haute voix plusieurs fois, c'est un rituel que l'enfant apprécie beaucoup. Un autre rituel consiste à réunir toute la famille régulièrement et à lire à tour de rôle les messages correspondant à l'âge de l'enfant.

L'estime de soi prenant aussi sa source dans le sentiment d'être compétent, l'une des tâches essentielles de ceux qui élèvent l'enfant consiste à lui procurer des expériences à travers lesquelles il peut apprendre et qu'il peut maîtriser avec succès.

Quelques autres messages importants pour développer l'estime de soi de l'enfant à n'importe quel âge

Le développement de l'estime de soi a toujours été une préoccupation primordiale des analystes transactionnels. D'autres chercheurs, aux côtés de Jean I. Clarke et de Pamela Levin, ont identifié des messages de vie favorisant la croissance et l'estime de soi : il s'agit de Robert et Mary Goulding.

Ils ont identifié douze messages qu'ils ont nommés « permissions » permettant à l'enfant de croître et de se développer tout en construisant son estime de lui-même. Voici ces douze permissions :

« Tu as le droit de vivre et d'exister. »
« Tu as le droit d'être toi-même ».
« Tu as le droit de grandir ».
« Tu as le droit de réussir. »
« Tu as le droit de faire. »
« Tu as le droit d'être important. »

«Tu as le droit d'appartenir à une famille, à un groupe.»
«Tu as le droit d'être proche des autres, de partager avec eux ce que tu ressens.»
«Tu as le droit d'être sain de corps et d'esprit.»
«Tu as le droit de penser pour toi.»
«Tu as le droit de ressentir.»
«Tu as le droit d'être un enfant.»

Une analyste transactionnelle indienne, Pearl Drego, ajoute encore deux autres permissions utiles à l'élaboration de l'estime de soi.

«Tu as le droit de défendre une cause, d'aider les autres.»
«Tu as le droit de manifester ta dimension spirituelle.»

Toutes ces permissions sont données par les parents, les grands-parents, oncles, tantes, enseignants, ecclésiastiques et tout autre adulte qui côtoie régulièrement l'enfant.

Il suffit parfois d'une parole, d'une action appropriée au moment opportun pour permettre à un enfant d'aller de l'avant et de faire croître son estime de lui-même par l'intégration de ces permissions. Tout adulte, quel qu'il soit, peut favoriser cette croissance de l'estime de soi.

Les enfants apprennent ce qu'ils vivent…

Si un enfant vit avec la critique,
il apprend à condamner.

Si un enfant vit avec l'hostilité,
il apprend à combattre.

Si un enfant vit avec le ridicule,
il apprend à être timide.

Si un enfant vit avec la honte,
il apprend à se sentir coupable.

mais

Si un enfant vit dans la tolérance,
il apprend à être patient.

Si un enfant vit avec des encouragements,
il apprend la confiance.

Si un enfant vit avec la reconnaissance,
il apprend à apprécier.

Si un enfant vit avec la justice,
il apprend à être juste.

Si un enfant vit dans la sécurité,
il apprend à avoir la foi.

Si un enfant vit avec l'approbation,
il apprend à s'aimer lui-même.

Si un enfant vit dans l'acceptation et l'amitié,
il apprend à trouver l'amour dans le monde.

Les autres sources de l'estime de soi

Si les messages donnés par les parents – verbalement et non verbalement – influencent tout particulièrement le niveau d'estime de soi d'une personne, il existe toutefois de nombreuses autres sources d'estime de soi.

1. ***La position dans la famille***

Certains enfants aînés sont appelés à prendre la responsabilité des petits frères et sœurs, et développent un sentiment de compétence par rapport à ce rôle.

Un enfant cadet peut être particulièrement choyé par ses parents, ses frères et ses sœurs et développer à cause de cela, une conviction quant à son droit d'exister et d'être apprécié.

2. ***Les frères et sœurs*** et leurs regards l'un sur l'autre.

3. ***Les amis,*** leur fidélité, leur loyauté.

4. ***La position de la famille dans la société***

Imaginons la difficulté que représente le fait d'être l'enfant d'un père ou d'une mère alcoolique ou emprisonné dans un petit village où tout le monde sait tout sur tous les habitants.

5. ***Les événements traumatisants*** vécus par l'enfant: abus sexuels, violence conjugale, violence envers les enfants.

6. ***La religion*** joue aussi un grand rôle dans la construction de l'estime de soi. Trop de systèmes religieux visent à culpabiliser ceux qui s'y rattachent

et les maintenir dans la peur : accent mis sur la faute, le péché, le diable, l'enfer, la damnation au lieu de mettre en lumière la valeur de l'être humain créé à l'image de Dieu, l'amour, le pardon et la joie de vivre.

Dans certaines religions, ce sont tout particulièrement les femmes qui sont dévalorisées, humiliées, exploitées et qui ensuite ont beaucoup de difficultés à développer une bonne estime d'elles-mêmes puisque nous leur faisons croire que c'est un Dieu qui les veut dans ce rôle secondaire.

7. *Les enseignants durant la scolarité*

Au début de sa scolarité, l'enfant est tout particulièrement vulnérable aux messages qui lui sont donnés par « la maîtresse » ou « le maître ». Cette personne participe à la création ou à la destruction de l'estime de soi de l'écolier.

Certains comportements d'enseignants endommagent souvent définitivement l'estime de soi de l'enfant. Une femme de plus de cinquante ans racontait tout émue à un groupe de personnes comment lors de son premier jour d'école, alors qu'elle n'avait pas reçu la permission d'aller aux toilettes avant la récréation, elle avait uriné sur sa chaise. L'institutrice avait demandé à toute la classe de passer devant cette petite fille en la montrant du doigt et en se moquant d'elle. Ce jour-là, cette petite fille décida que l'école était un enfer et qu'elle détestait s'y rendre.

Au contraire, une autre femme, d'environ 40 ans, responsable d'une institution de santé, se rappelait avec fierté d'une jeune institutrice qui avait transformé sa vie. Eliane était le cinquième enfant d'une famille d'agriculteurs. Les parents valorisaient peu l'école et comme Eliane ne semblait pas manifester beaucoup d'enthousiasme pour tout ce qui touchait à l'instruction, elle avait déjà dû refaire sa première année primaire à cause des résultats catastrophiques qu'elle avait obtenus. Suite à la maladie de l'enseignant titulaire, une jeune femme particulièrement motivée pour ses élèves s'intéressa à Eliane. Elle l'installa au premier rang, près de son pupitre, lui donna de l'attention et à plusieurs reprises lui dit combien elle était persuadée qu'avec des yeux aussi intelligents, elle avait sûrement la possibilité de réussir. Eliane, lorsqu'elle rentrait chez elle, montait dans la chambre à coucher de ses parents, seule pièce où il y avait un miroir et elle regardait avec émerveillement ses yeux « intelligents ».

Eliane devint une bonne élève, passa son baccalauréat et fit des études qui lui permirent de prendre d'importantes responsabilités.

Elle attribue à cette institutrice, qui probablement ne le saura jamais, la pose des fondations de son estime d'elle-même.

□

Les familles saines développent l'estime de soi de chacun de leurs membres

Les familles saines communiquent et écoutent.

Les familles saines affirment et offrent un soutien.

Les familles saines offrent du respect à chacun.

Les familles saines développent la confiance.

Les familles saines jouent et ont de l'humour.

Les familles saines partagent les responsabilités.

Les familles saines définissent les comportements acceptables et ceux qui ne le sont pas.

Les familles saines construisent un esprit de famille.

Les familles saines ont des interactions équilibrées.

Les familles saines partagent une spiritualité.

Les familles saines respectent la zone privée de chacun de leurs membres.

Les familles saines créent de l'espace pour la communication.

Les familles saines partagent les loisirs.

Les familles saines acceptent les défis et savent demander de l'aide.

DELORES CURRAN

3 Développer l'estime de soi en tant qu'adulte

Un spécialiste des techniques de « reparentage » écrivait un jour:

«Il n'est jamais trop tard pour avoir une enfance heureuse!»

Nous pourrions paraphraser cela en écrivant: «Il n'est jamais trop tard pour développer l'estime de soi-même!»

Bien entendu, lorsqu'un enfant est accompagné tout au long de sa croissance par des parents compétents, capables de lui donner les messages appropriés alors qu'il grandit, cet enfant développe naturellement l'estime de lui-même. Il atteint l'âge adulte en possession du plus grand trésor qui soit: une bonne estime de lui-même.

Lorsque ce n'est pas le cas, lorsque pour des raisons diverses les parents ou ceux qui les remplaçaient, lorsque les circonstances n'ont pas offert à l'enfant les conditions nécessaires au développement de l'estime de soi, l'adulte qu'il devient souffre de différentes manières. C'est tout particulièrement lors d'épisodes douloureux – tels que échec, divorce, licenciement, dépression – que l'adulte prend conscience de sa carence d'estime de lui-même et qu'il recherche des moyens lui permettant de se développer.

A ce moment-là, la personne commence par blâmer les circonstances de sa vie. Elle réalise qu'elle n'a pas reçu ce qu'elle était en droit d'attendre de la part de ses parents et de son environnement, elle blâme ses proches, son manque d'instruction, sa timidité, son apparence, son entourage.

Elle peut tenter de se former, de perdre du poids, de changer de travail, d'apprendre à s'affirmer et, même si parfois elle atteint son but et peut modifier les circonstances de sa vie, elle réalise très vite qu'elle en est au même point et que son estime d'elle-même n'a pas changé.

Ces dernières années, de nombreux spécialistes se sont intéressés à cette question et sont arrivés à la conviction que l'estime de soi d'un adulte est en relation directe avec son processus de pensée, avec ce que cette personne pense d'elle-même et se dit à elle-même, avec sa façon d'interpréter ce que les autres lui disent. Les circonstances extérieures peuvent agir sur l'estime de soi, bien sûr, mais elles ne déterminent pas l'estime de soi d'une personne.

C'est la personne elle-même – et uniquement elle – qui peut décider de modifier sa vie en augmentant son estime d'elle-même.

Ce cheminement s'effectue à travers plusieurs étapes significatives :

Prendre conscience du problème

Un nombre incalculable de gens souffrent de solitude, sont anxieux, tendus, se sentent incompris, insignifiants, ont peur d'entrer en contact avec les autres, se sentent coupables sans savoir vraiment de quoi. D'autres sont déprimés, fatigués, apathiques, se sentent incompris et accumulent du ressentiment contre ceux qui les entourent. Ils savent qu'ils ne sont pas bien là où ils sont et pourtant ne vont pas là où ils rêveraient d'aller. La plupart de ces personnes souffrent surtout d'un manque chronique d'estime de soi. Elles laissent passer les jours, les mois, les années sans savoir quoi faire, sans comprendre ce qui freine leur évolution.

Il arrive qu'elles transforment inconsciemment ces sentiments de mal-être en dysfonctionnements physiques et, pour le restant de leur vie, elles soigneront une dimension d'elles-mêmes, leur corps, qui n'est pas vraiment la source du problème.

Depuis des décennies, cette situation nous interpelle. Comment se fait-il que si peu de gens deviennent conscients de ce qui les fait souffrir ou des possibilités de changer leur situation ?

Virginia Satir, l'une des fondatrices du mouvement de thérapie de famille écrivait dans la préface d'un ouvrage sur l'estime de soi :

«Une personne ayant une mauvaise estime d'elle-même a développé un style de vie auquel elle s'est habituée. C'est comme un habit familier. Il n'est ni beau, ni confortable, mais il est là, on peut compter sur lui ! »

Peut-être est-ce là une des raisons qui expliquent pourquoi tant de personnes vivent leur vie avec une mauvaise estime d'elles-mêmes.

Ainsi, la première exigence pour pouvoir développer son estime de soi en tant qu'adulte, c'est de reconnaître, de prendre conscience de ce manque d'estime de soi qui entrave la vie.

Pour devenir toujours plus conscient, il est utile de se demander :

	OUI	NON
○ *Est-ce que je crois en moi ?*	☐	☐
○ *Est-ce que je me respecte ?*	☐	☐
○ *Est-ce que je fais ce que j'ai envie de faire ?*	☐	☐
○ *Est-ce que je crois que je mérite ce qu'il y a de meilleur ?*	☐	☐
○ *Est-ce que j'ai tendance à blâmer les autres pour ce qui m'arrive ?*	☐	☐
○ *Est-ce que j'ose être spontané dans mes relations avec les autres ?*	☐	☐
○ *Est-ce que j'ose dire non ?*	☐	☐
○ *Est-ce que j'ose prendre des risques ?*	☐	☐
○ *Suis-je un bon communicateur ?*	☐	☐

Lorsqu'à plusieurs questions nous répondons « non », il y a des chances que nous souffrions d'une mauvaise estime de nous-même.

Prendre conscience du problème, voilà le début du chemin. Il faut ensuite accepter l'idée qu'en tant qu'adulte, quel que soit notre âge, il est possible d'augmenter, d'améliorer son estime de soi.

Comme nous venons de le voir, il s'agit de décider de changer de « style de vie »; cela prend du temps, de la persévérance mais c'est possible !

Finalement, lorsque nous avons pris conscience du problème, que nous acceptons l'idée d'un changement, d'une évolution positive, il reste encore à réaliser que personne d'autre que nous-même ne peut effectuer ce changement, nous sommes responsable de bâtir ou d'améliorer l'estime que nous avons pour nous-même. Il n'y a plus personne à blâmer, ici, maintenant, aujourd'hui, c'est nous et uniquement nous qui avons le pouvoir de décider et de nous mettre en route.

Cela ne veut pas forcément dire que nous devons tout faire seul. Nous pouvons nous joindre à un groupe de développement personnel, à un groupe de développement de l'estime de soi, nous pouvons entreprendre une psychothérapie si nous le désirons. Malgré cela, personne d'autre que nous ne peut se mettre en route à notre place, c'est notre choix et notre responsabilité.

Modifier la communication interne et externe

La communication interne

Comme nous l'avons vu dans le chapitre sur les sources de l'estime de soi, les messages reçus des parents et de tous ceux qui étaient présents dans notre environnement alors que nous grandissions représentent le matériau constitutif de notre estime de nous-même. Nous les avons enregistrés et, petit à petit, incorporés dans notre mémoire consciente et inconsciente. Même si les parents sont décédés depuis longtemps, ces messages reçus nous habitent et nous avons pris le relais des grandes personnes présentes durant notre enfance, nous nous les redisons à longueur de journée, nous nous les répétons intérieurement:

«Tu es maladroit.»

«Tu es bête.»

«Jamais tu n'y arriveras.»

«Tu ne réussiras pas.»

Ce qui nous a été dit et qui nous était si pénible, nous nous le répétons à nous-même, parfois dans une version revue et augmentée tout au long de notre vie. Ces messages que nous nous donnons participent à entretenir une mauvaise estime de nous-même.

Il s'agit là d'une communication interne, d'un dialogue intérieur parfois incessant, qui colore toute notre existence et donne naissance à nos émotions et à nos actions.

L'approche psychologique nommée « programmation neuro-linguistique » ou PNL met en évidence que ce ne sont pas les événements qui déterminent nos émotions et nos actions, mais bien notre interprétation des événements, ce que nous nous disons à nous-même et ce que nous nous disons à propos des événements.

Imaginons que Paul vient de se faire licencier de son poste de travail. Si, lorsqu'il était enfant il a entendu à longueur de journée qu'il était stupide, qu'il n'y arriverait jamais, qu'il ne pourrait pas réussir dans la vie, Paul aura tendance à se dire : « Ce n'est pas étonnant que je sois licencié, de toute façon, je ne peux pas réussir, je suis trop stupide ! »

Branché sur ce dialogue intérieur Paul éprouvera beaucoup de tristesse et de colère, il s'en voudra, il perdra encore davantage confiance en lui et perdra aussi toute motivation pour chercher un autre travail, convaincu qu'il ne s'en sortira pas, qu'il est trop stupide.

Autre scénario : imaginons que Pierre soit licencié de son poste de travail mais que, durant son enfance, il ait reçu de nombreuses permissions : « tu as le droit de réussir », « tu es important », « tu as le droit de demander de l'aide ». Pierre se redit ces permissions à l'intérieur de lui et en est convaincu. Bien sûr qu'il éprouvera de la tristesse et de la colère à l'idée de perdre son travail, mais il ne sera pas désespéré face à la situation. Il trouvera des possibilités d'être aidé, il sera certain de retrouver rapidement du travail et saura prendre soin de lui-même. Il continuera à cultiver une vision positive de la vie et des autres et, grâce à son attitude positive, il retrouvera, effectivement, rapidement du travail.

Les deux situations de travail sont identiques, il y a licenciement. Ce qui change, c'est uniquement le contenu des messages que Pierre et Paul se donnent.

L'événement ne représente qu'un aspect du problème, c'est l'interprétation de cet événement et de ses capacités à y faire face qui compte avant tout.

Ce qu'il est utile de connaître, c'est que tout être humain peut programmer ses pensées et par là influencer ses émotions et ses comportements. C'est nous qui choisissons nos pensées, c'est nous qui mettons en route les dialogues intérieurs dévalorisants ou les dialogues intérieurs positifs et stimulants lorsque nous prenons conscience de la manière dont nous communiquons avec nous-même.

Il est possible de découvrir son dialogue intérieur en prenant conscience de ce que l'on se dit à propos de soi dans les circonstances difficiles de la vie. Parmi les phrases les plus courantes chez les personnes ayant une mauvaise estime d'elles-mêmes, il est fréquent de trouver :

« C'est entièrement de ma faute. »

« Les gens ne m'aiment pas. »

« Ils me perçoivent comme menaçant. »

« Je dois faire ce qu'ils veulent. »
« Ça n'a pas d'importance. »
« C'est sans espoir. »
« J'ai tout essayé. »
« Je me fais toujours avoir. »
« Ils ne m'écoutent pas. »

Ces phrases-là signalent un dialogue intérieur négatif chez la personne qui les prononce.

Les messages donnés par les parents et les autres personnes présentes dans l'environnement sont si bien intégrés que la personne devenue adulte continue à se les répéter sans s'en rendre compte.

Que faire ?

Comme nous l'avons vu précédemment, la première démarche consiste à prendre conscience de cet état de choses, puis à identifier les éléments de ce dialogue intérieur en les notant sur un cahier, par exemple. Alors il devient possible de modifier les éléments de ce dialogue intérieur en se donnant à soi-même des permissions, des messages positifs et encourageants.

Au début, cela peut paraître artificiel ! Durant tant d'années, nous avons entendu d'autres phrases ! Mais en persévérant, en changeant systématiquement les messages négatifs en permissions constructives, l'estime de soi s'améliore influençant la vie émotionnelle et le comportement de la personne.

La communication externe
La communication interpersonnelle repose directement sur le dialogue intérieur des personnes concernées. Si notre parent intérieur nous condamne et nous houspille sans cesse, le contenu de notre communication avec les autres reflétera cet état de choses. Nous aurons tendance à « nous excuser d'exister », « nous nous effacerons au profit des autres », « nous aurons peur de déranger les autres », « nous aurons tendance à manipuler plutôt qu'à demander directement ce dont nous avons besoin », « nous nous plaindrons au lieu de prendre la responsabilité de notre réalité » et surtout, « nous aurons beaucoup de craintes à l'idée de devoir nous affirmer devant les autres, prendre la parole en public, refuser un service ou prendre notre place parmi les autres ».

Au contraire, lorsque le dialogue intérieur est positif, qu'il est fait de permissions, d'appréciations, nous avons la possibilité de communiquer simplement, clairement et sans crainte avec notre entourage. Ainsi, l'estime de soi augmente lorsque le dialogue intérieur – ce que nous nous disons à propos de nous-même – change et que nous nous donnons des « permissions ».

Plus l'estime de soi augmente, plus la communication avec les autres devient satisfaisante.

Par un effet de retour, savoir communiquer clairement et positivement tend à augmenter encore l'estime de soi.

Réajuster les pensées erronées

Comme nous venons de le voir, le dialogue intérieur de celui qui a une mauvaise estime de lui-même est généralement composé de messages négatifs reçus dans l'enfance et conservés dans sa mémoire.

Cependant, les théories récentes de la psychologie comportementale apportent un éclairage complémentaire à l'explication ci-dessus.

Le Dr David Burns postule que la personne qui a une mauvaise estime d'elle-même a développé un processus de pensée qui est incorrect. Dans ses recherches, il a répertorié dix manières incorrectes de penser qui aggravent encore la situation de la personne.

Il est essentiel d'identifier ces formes erronées de pensées afin de pouvoir les changer :

1) Penser en terme de tout ou rien

Dans la plupart des situations de la vie, il n'y a pas d'absolu, rien n'est complètement noir ou blanc. Ainsi, lorsqu'une personne dit:

«Je suis maladroit, je n'ai jamais pu créer quoi que ce soit», elle est dans l'erreur, elle a certainement réussi à créer quelque chose dans sa vie. Peut-être qu'elle n'en est pas consciente à ce moment-là ! Cependant, à force de répéter ce genre de phrase inexacte, elle accentue son manque d'estime d'elle-même.

Une déclaration plus juste serait par exemple:

« Aujourd'hui, je suis maladroit, je n'arrive pas à bâtir cette niche pour mon chien. »

« Je suis maladroit *aujourd'hui* et à propos de l'ouvrage en cours. »

2) Généraliser

« Je n'ai jamais eu de chance dans la vie ! »

Cette phrase découragée est certainement inexacte. Si la personne en question est là pour l'exprimer, elle a déjà la chance d'être vivante, de pouvoir parler, d'être en relation avec quelqu'un à qui elle l'exprime et la liste pourrait continuer.

La généralisation participe au découragement et à la perception négative de soi.

3) Filtrer mentalement les informations

« Cette fête a été complètement ratée, il a plu tout le week-end, j'aurais mieux fait de rester couché ! »

Voir ce qui est négatif et oublier tout l'aspect positif, c'est ce que font de nombreuses personnes qui ont une mauvaise estime d'elles-mêmes. Elles soulignent dans leur vie, ce qui n'a pas été, ce qui a posé problème et perdent tout courage.

4) Méconnaître les aspects positifs de soi

« Je suis un pauvre crétin ! Je me suis de nouveau fait avoir ! » Ce n'est pas parce que nous avons commis une erreur de jugement que nous sommes un pauvre crétin ! Et ce n'est pas non plus la seule chose que nous avons faite : « une erreur de jugement ».

5) *Sauter aux conclusions*

«Je suis sûr qu'ils n'accepteront jamais!»

Comment pouvons-nous le savoir sans aller leur parler?

«Je sais ce qu'il pense de moi.»

Il n'est pas possible de lire dans l'esprit de l'autre s'il ne s'est pas exprimé.

«Tu verras, ça ne marchera pas!»

Prédire que les choses vont mal aller, c'est se mettre en condition pour faire en sorte qu'elles ne marchent pas.

Toutes ces manières de penser ont des effets négatifs sur la réalité, sur le sentiment de compétence personnelle et donc sur l'estime de soi.

Nous pourrions changer toutes les phrases ci-dessus de la manière suivante:

«En préparant bien notre entretien, il y a de fortes chances qu'ils acceptent le projet.»

«Je ne sais pas ce qu'il pense, il n'y a pas de raison qu'il ait une mauvaise opinion de moi.»

«Je pense qu'il y a de fortes chances que ça puisse marcher.»

6) *Exagérer ou minimiser*

Il s'agit-là d'identifier un détail auquel nous donnons une importance exagérée:

«J'ai l'air de quoi avec ce bouton sur le nez? Tout le monde va me regarder et se demander de quelle maladie je suis atteint!»

Ou au contraire de minimiser un élément:

« D'accord, je suis sorti premier de ma promotion, c'est juste un coup de chance, je suis tombé sur un sujet que je connaissais à l'examen. »

L'un et l'autre des exemples ci-dessus peuvent être signes d'une mauvaise estime de soi et, en même temps, ils contribuent encore à la renforcer.

7) Raisonner sur la base de ses émotions

« La vie est tellement triste ! »

Ce n'est pas la vie qui est triste ! C'est l'émotion que je vis en ce moment.

« En ce moment, j'éprouve de la tristesse ! » Voilà qui est beaucoup plus réaliste et juste.

8) « Doit – devrait – il faut »

La croyance fréquente de nombreuses personnes, c'est qu'elles doivent faire certaines choses ou manifester certaines caractéristiques.

Malheureusement, contrairement au titre d'un film connu : *La vie est un long fleuve tranquille*, la vie n'est pas ainsi !

Personne ne peut pas toujours tout réussir ! Travailler intensément et se conduire honnêtement ne suffit pas à garantir un emploi à vie ou la réussite escomptée.

D'autre part, ces « il faut », « tu dois » sont souvent des messages reçus dans l'enfance et qui n'ont aucune base valable dans la vie actuelle de la personne.

9) Mettre une étiquette

«Je suis tellement stupide»: Se dire une phrase de ce genre atteint l'estime de soi.

Au contraire, dire: «Je me suis trompé!» est beaucoup plus exact et moins déprimant. Il est tout à fait superflu de se mettre une étiquette dévalorisante.

10) Blâmer

Se blâmer ou blâmer les autres ne contribue pas à résoudre le problème.

«Je suis un pauvre idiot, je me suis fait licencier de mon travail.»

Se faire licencier de son travail n'a rien à voir avec le fait d'être ou de se sentir «idiot». De multiples raisons économiques et psychologiques président au choix des personnes qui seront licenciées lors de la restructuration d'une entreprise. Se blâmer ou blâmer l'autre contribue à détériorer l'estime de soi.

«Mon usine se restructure et je suis l'une des 30 personnes qui seront licenciées.»

Prendre la responsabilité de sa vie

Dans les pages qui précèdent, nous avons évoqué la phrase de Virginia Satir:

«Une personne avec une mauvaise estime d'elle-même a développé un style de vie auquel elle s'est habituée. C'est comme un habit familier. Il n'est ni beau, ni confortable, mais il est là, on peut compter sur lui. »

Voilà, en partie, la raison pour laquelle tant de gens admettent qu'ils ne sont pas heureux, qu'ils ne vivent pas la vie qu'ils voudraient vivre, tant de gens souffrent d'une mauvaise estime d'eux-mêmes et, malgré cette constatation, ils ne font rien de spécifique pour sortir de la situation déplaisante dans laquelle ils se trouvent.

Pour de nombreuses personnes que nous avons côtoyées et qui désiraient pourtant changer, vivre autre chose, l'un des obstacles majeurs était la peur :

Peur de s'avancer sur une route inconnue, peur du regard des autres, peur de ne pas savoir, de ne pas pouvoir, peur d'échouer, peur de perdre ce qu'ils ont ! Ces peurs sont souvent liées aux idées erronées mentionnées dans le chapitre précédent, en méconnaissant ce qui est positif, en généralisant, en exagérant les dangers ou conséquences possibles d'un changement, en se critiquant soi-même ou en blâmant les autres, il y a de fortes chances que la personne se bloque dans son élan et n'effectue aucun changement dans sa vie. D'où, l'importance de débusquer les processus de pensées erronées !

Prendre le contrôle de sa vie, c'est tout d'abord réaliser pleinement «qu'il n'y a pas de Père Noël». Personne ne viendra nous sauver de notre responsabilité de prendre notre vie en main ! C'est chacun de nous, personnellement, qui est responsable de sa vie, de son devenir.

Prendre la responsabilité de sa vie, c'est, entre autres, se poser trois questions essentielles et leur trouver des réponses.

1) Qu'est-ce que je veux pour moi ?

La plupart des gens savent ce qu'ils ne veulent pas, ils ont beaucoup plus de difficultés à dire ce qu'ils veulent pour eux-mêmes.

En fait, la situation est claire: ou bien je suis heureux et ma vie est celle que je désire vivre et je n'ai plus à répondre à la question ci-dessus, ou alors, je ne suis pas heureux, je ne suis pas en train de vivre ce que je voudrais vivre et il est urgent de se poser la question sérieusement.

« Qu'est-ce que je veux pour moi ? »

En d'autres termes : « Qu'est-ce qui est important pour moi ? quelles sont les priorités dans ma vie ? qu'est-ce qui fait sens pour moi ? »

Si, pour moi, la priorité est de vivre en harmonie avec une ou des personnes qui me respectent, me soutiennent et m'aiment et que je ne vis pas cette situation, quels sont les changements possibles ? Si j'ai besoin d'accomplir un travail intéressant où je puisse utiliser ma créativité et que je n'ai pas un tel travail, que puis-je faire à ce propos ?

Finalement, si je ne vis pas à l'endroit où je voudrais vivre et que cela me pèse, quelle solution puis-je trouver ?

Il n'est pas toujours possible d'avoir ce que nous voulons, bien entendu, mais il est encore moins certain d'y arriver lorsque nous ne savons pas vraiment ce que nous voulons. Le philosophe grec Sénèque le disait déjà il y a de nombreux siècles:

«Il n'y a pas de vent favorable pour le navire qui ne connaît pas son port.»

Définir clairement ce que l'on veut pour soi, c'est sortir des doutes, du marasme, c'est se redresser et augmenter son estime de soi.

2) Qu'est-ce que je demande aux autres?

Atteindre ses objectifs, aller vers ce que chacun veut pour soi suppose en général une démarche vers les autres, vers l'entourage. Si je veux être traité avec respect, j'ai probablement besoin de demander cela à ceux qui m'entourent. Pour faire cette demande, je dois identifier ce que je veux vraiment, avant de pouvoir l'exprimer.

«C'est toujours pareil, tu n'as jamais de temps pour moi!»

Blâmer l'autre au lieu de lui demander clairement ce que nous voulons, voilà un moyen sûr de ne pas obtenir ce que nous voulons.

«Chéri, j'ai absolument besoin de parler avec toi pendant 5 à 10 minutes, veux-tu me dire quand cela te conviendrait?»

Une demande précise apporte en général une réponse précise et satisfaisante.

3) A quoi dois-je renoncer?

Cette troisième question est essentielle. Je ne pourrai pas obtenir tout ce que je veux pour moi, l'autre ne répondra pas positivement à toutes mes demandes. C'est pourquoi j'ai besoin de faire le deuil, de lâcher prise d'un certain nombre de désirs.

Une personne assistant à l'une de nos sessions de formation avait identifié qu'elle voulait «être écoutée par son mari!» Elle lui avait demandé cela à maintes reprises, sans succès. Il disait «oui, bien sûr!» et deux jours plus tard reprenait son habitude de se plonger dans son journal puis de regarder la télévision sans prêter attention à son épouse. Cela faisait des mois qu'elle le houspillait avec cette demande sans obtenir satisfaction. Elle en était arrivée à considérer une séparation alors qu'elle disait aimer cet homme qui, à part cela, était un bon père et un bon mari.

C'est à ce moment-là qu'elle a réalisé qu'elle n'avait pas encore répondu à la troisième question:

«A quoi dois-je renoncer?»

Elle se rendit compte qu'elle pouvait renoncer à vouloir «être écoutée par son mari.» Elle pouvait trouver le moyen d'être écoutée par d'autres gens, ailleurs. C'est ce qu'elle fit: elle suivit une formation à l'écoute, se mit à faire du bénévolat, participa à des cours et groupes divers. Elle avait trouvé ce qu'elle cherchait: elle était écoutée. Sa relation avec son mari s'était améliorée, elle avait pris de l'assurance et vivait mieux.

Décider de renoncer à quelque chose, faire son deuil, lâcher prise, c'est ce qui permet d'aller au-delà, de quitter une position inconfortable où l'on se sent « assis entre deux chaises » !

Ainsi, définir clairement ce que nous voulons diminue le sentiment d'impuissance ou de résignation. Identifier ce que nous voulons demander aux autres et formuler cette demande diminue la colère et le ressentiment que nous pouvons éprouver envers l'autre qui ne semble pas « voir » ce que nous désirons. Faire le deuil, lâcher prise pour aller plus loin diminue le sentiment de tristesse, de stagnation qui existe lorsqu'on est pris dans une impasse. Surtout, prendre la responsabilité de sa vie, c'est, après avoir répondu aux trois questions ci-dessus, déterminer les actions à entreprendre pour vivre ce que nous voulons vivre et surtour AGIR, aller de l'avant.

Assumer la responsabilité de sa vie est l'une des voies royales pour augmenter l'estime de soi.

Développer la compassion

La critiques que nous entendons souvent concernant la notion d'estime de soi est la suivante : « Vouloir aider les gens à développer leur estime d'eux-mêmes, n'est-ce pas les inviter à se regarder le nombril ? » ou encore : « N'est-il pas plus important d'enseigner la générosité et le souci de l'autre plutôt que toute cette importance donnée à soi-même ? »

Beaucoup de gens confondent « estime de soi » et « égocentrisme ». Ils désirent faire l'économie de l'amour de soi pour ne se préoccuper que de l'amour de l'autre. C'est une profonde erreur. Les textes sacrés, comme la Bible, insistent bien sur cette double dimension :

« Aimer son prochain *comme* soi-même. » Ainsi, une mauvaise estime de soi, un manque d'amour pour soi ne permet pas d'aimer pleinement, librement son prochain.

L'amour offert aux autres par une personne qui ne s'aime pas elle-même glisse bien vite dans la manipulation. Par contre meilleure est l'estime de soi d'une personne, plus grande est sa capacité d'amour et de compassion pour les autres.

C'est cette sécurité, cette sérénité intérieure, propre à ceux qui se savent aimés et qui se sentent compétents qui permet d'accompagner pleinement l'autre sans se perdre dans sa souffrance et ses difficultés.

Etonnamment, la compassion est plus souvent manifestée par des personnes ayant une bonne estime d'elles-mêmes et, dans le même temps, plus elle est manifestée et plus, à son tour, elle sert de combustible à l'estime de soi.

Manifester de la compassion, c'est poser autrement des actes quotidiens, c'est avoir une attitude d'acceptation positive inconditionnelle vis-à-vis de ceux que nous côtoyons, c'est les écouter plus intensément, c'est s'abstenir de finir leurs phrases, ou d'anticiper ce qu'ils vont dire, c'est être réellement présent pour eux, c'est s'abstenir de tout jugement et décider de manifester son intérêt et sa compréhension pour ce qu'ils vivent.

Mieux, en tant qu'adultes, plus nous développons notre aptitude à la compassion, plus nous nous laissons être « touchés » par ce que vit l'autre, plus nous nous sentons « adéquats », à notre place dans le monde et plus nous pouvons nous estimer.

La compassion, comme les convictions, la prise de conscience, la prise de responsabilités sont des manifestations de l'estime de soi et simultanément des sources d'estime de soi.

Plus nous développons notre capacité de compassion, plus nous augmentons notre estime de nous-même.

Honorer ses convictions

Une personne qui ne jouit pas d'une bonne estime d'elle-même a tendance à se conformer à ceux qui l'entourent, à « s'écraser » ! Elle n'ose pas défendre son point de vue, elle n'ose pas s'affirmer.

Il arrive qu'elle vive de longues années dans une situation pénible qui n'est pas en accord avec ses convictions. Lorsque c'est le cas, son estime d'elle-même a tendance à diminuer encore, ainsi que la qualité de sa vie.

Honorer ses convictions – qui gagneraient d'être en constante évolution – c'est intégrer ses valeurs, ses croyances et son idéal dans sa vie quotidienne et dans son comportement. C'est, en d'autres termes, vivre dans l'intégrité.

Lorsque nous nous comportons de manière à être en conflit avec ce que nous croyons être juste et valable, nous ne nous respectons pas. Nous avons besoin de valeurs pour guider notre vie et d'intégrité pour vivre harmonieusement et pour développer notre estime de nous-même.

Honorer ses convictions, cela suppose pouvoir les identifier, leur donner de la valeur et vivre en accord avec elles. Cela suppose aussi les regarder de près, les analyser. Il arrive que certaines convictions issues de religions mal comprises ou mal enseignées participent au manque d'estime de soi d'une personne en soulignant ses aspects négatifs: par exemple l'accent mis par certaines églises sur «le péché», «le mal», «les démons», au détriment de notions telles que «l'amour», «le bien», «les anges».

Etre adulte, c'est aussi considérer son héritage religieux et oser mettre en question des règles et des dogmes mortifères.

Honorer ses convictions, c'est encore être cohérent, c'est tenir parole, c'est être en accord avec ses valeurs morales et éviter les compromis douteux.

Tout cela permet de se respecter en tant que personne et d'être respecté par les autres.

Finalement, honorer ses convictions, c'est se donner le droit de prendre en compte sa dimension spirituelle, c'est se donner le droit de nourrir cette partie essentielle de soi-même par la méditation, la lecture de textes sacrés, la prière, la célébration communautaire.

C'est s'accepter dans toutes ses dimensions humaines.

Honorer ses convictions, c'est augmenter son estime de soi-même.

□

4 Quelques outils pour développer l'estime de soi en tant qu'adulte

Comme nous l'avons vu au cours des pages qui précèdent, développer l'estime de soi lorsque nous sommes adultes débute par une prise de conscience de ce qui pose problème puis par une modification de la communication interne et externe, par un réajustement des pensées erronées, par la prise de responsabilité de sa vie, par le développement de la capacité de compassion et par la décision d'honorer ses convictions.

D'autres voies peuvent aider à parcourir ce chemin et à vivre en croissance jour après jour.

Les affirmations

Ce sont des «outils pour l'esprit». Elles ont pour but d'aider à changer une croyance fondamentale. Le mot affirmation vient du terme «affirmare» qui veut dire «tenir ferme», «donner de la force», «rendre fort». Ceci implique un accord, un consentement, un désir intérieur de dire oui à ce que nous affirmons. Une affirmation peut être définie comme une pensée positive ou une idée sur laquelle nous pouvons nous centrer consciemment en vue de produire un résultat désiré. Une affirmation est un moyen pratique et simple de modifier d'anciens messages dont nous n'avons plus besoin. C'est un outil qui donne du pouvoir et qui renforce le désir ou la décision de dire « oui ». C'est une manière de se parler positivement, d'augmenter l'estime de soi.

L'une des phrases les plus fréquemment prononcées par les personnes qui commencent une psychothérapie est : « J'ai essayé de changer, mais je n'y arrive pas ! » L'impuissance ressentie face à cette difficulté de changement amène en général la personne qui se sent impuissante à blâmer les autres : « Si seulement ma femme était plus détendue, tout irait bien ! » « Si mes enfants étaient plus obéissants, nous aurions moins de difficultés dans notre couple ! »

Lorsque nous voulons que quelqu'un d'autre change pour que nous puissions changer, nous limitons notre croissance personnelle. Nous nous plaçons en position d'attente, nous avons donné notre pouvoir sur nous-même à quelqu'un d'autre.

Afin de commencer en nous-même le processus de changement et d'augmenter notre estime de soi, il est nécessaire d'accepter deux postulats :

1) Nous créons les pensées qui sont en nous et nous en sommes responsables.
Même s'il est nécessaire d'admettre que les messages reçus des parents et des proches lorsque

nous étions enfants sont d'une grande importance dans la construction de l'estime de soi, cette influence ne peut pas être une excuse pour continuer toute sa vie à blâmer les autres et à se donner à soi-même des messages négatifs, ce qui ne fait que renforcer les sentiments d'impuissance et d'infériorité.

En acceptant le fait que nous créons notre monde intérieur nous sommes confrontés à la réalité suivante: «Notre vie peut changer». Si nous continuons à créer un monde intérieur inconfortable et déplaisant, nous avons aussi la possibilité de le changer et de le rendre créatif et heureux. Prendre cette décision représente le début d'une amélioration de l'estime de soi.

2) La vie est un processus de croissance.

Tout au long de la vie nous sommes confrontés à de multiples problèmes qui peuvent aussi devenir des opportunités. La fréquence avec laquelle nous utilisons le terme « problème « dans notre culture en fait quelque chose de permanent. Nombreux sont ceux qui perçoivent la vie comme une suite de problèmes et pour eux: vie = problèmes.

Pour pouvoir changer, il est nécessaire de le décider consciemment et de trouver ensuite les outils qui peuvent faciliter ce changement.

Les affirmations représentent l'un de ces outils. Le concept des affirmations repose sur l'idée suivante: «Ce que vous pensez, vous le deviendrez, si vous le pensez assez longtemps. » La base de l'utilisation des affirmations est la suivante :

PENSÉE

▼

HABITUDE

▼

CROYANCE À PROPOS DE SOI-MÊME

Tout commence par une pensée qui est manifestée dans la conscience, lorsque cette pensée est maintenue assez longtemps, elle devient une habitude. Lorsque cette habitude est prise, elle devient une croyance à propos de soi-même.

Prenons l'exemple d'un enfant qui a reçu le message : « Tu es stupide. Tu n'iras pas loin dans la vie. » Si ce message est renforcé par les circonstances extérieures telles que : difficultés à l'école ou rejet par les autres enfants, le message prend racine et l'enfant pense que le message est vrai, il finit par agir de manière à obéir à ce message, il agit stupidement et renforce encore ses croyances à propos de lui-même ce qui, bien sûr, l'empêche de se créer une bonne estime de lui-même.

Comment créer une affirmation

Afin d'atteindre un maximum et obtenir le changement désiré, il y a quelques règles à suivre pour créer des affirmations.

1. Les affirmations doivent être formulées au présent. Il s'agit là d'un aspect important puisque la relation corps-esprit n'est modifiable que dans le présent. Lorsque notre perception de nous-même dépend de ce que nous accomplissons, nous avons tendance à dire : « Je m'apprécierai lorsque j'aurai réussi ». De cette manière, il n'y a pas de moyen pour l'esprit de créer dans le corps des sentiments de bien-être dans le présent.

Une affirmation plus utile serait : « Je m'apprécie maintenant comme je suis. » De cette manière l'estime de soi augmente et il n'y a pas de dépendance envers les autres.

2. Utiliser le pronom « je » est très important car il est impossible d'affirmer pour quelqu'un d'autre. Le meilleur moyen d'être accepté par les autres et de les accepter est de s'accepter soi-même. S'accepter soi-même, cela permet d'accepter les autres comme ils sont, avec leur ombre et leur côté lumineux. C'est par l'acceptation de ce qui est, que le changement devient possible en soi-même et dans les rapports avec les autres. Lorsqu'une personne a décidé de changer, c'est elle-même et personne d'autre qui peut utiliser les affirmations et atteindre son but.

3. Les affirmations doivent être positives. Le corps est le serviteur de l'esprit. Il arrive souvent que nous réalisions les prédictions que nous nous faisons. C'est ce qui s'appelle « la réalisation automatique des prédictions ». Il est donc essentiel de veiller à ce que nous disons. Par exemple, si nous demandons à quelqu'un ce qu'il voudrait changer à propos de lui-même et qu'il dit :

« Je ne veux pas me sentir sous pression quand je travaille. », il utilise une formulation négative et, en disant cela, il attire cette réalité vers lui. Il s'agit d'une loi universelle qui est la suivante : « Ce à quoi nous résistons persiste ». Chaque fois que nous exprimons ce que nous ne voulons pas, notre corps tend à le réaliser.

Si quelqu'un nous disait : « Fermez vos yeux et n'imaginez pas un drapeau qui flotte dans le vent », nous devrions tout d'abord imaginer le drapeau qui flotte de manière à ne plus l'imaginer... C'est une manière de rendre confuse l'énergie du cerveau. C'est pourquoi il est important de dire d'une manière positive ce que nous désirons réaliser. Dans l'exemple ci-dessus, la personne pourrait dire : « Je me sens calme et en paix quand je travaille. »

4. Les affirmations sont meilleures lorsqu'elles sont courtes. Quand une affirmation est brève, elle est intégrée plus facilement et plus rapidement dans nos croyances fondamentales. En prenant l'exemple ci-dessus à propos du travail, si la personne dit : « Chaque fois que je vais au travail et que j'ai beaucoup de choses à faire, je me sens calme et paisible alors que j'accomplis ces tâches.» La phrase est trop longue. C'est pourquoi en disant simplement: «Quand je travaille, je me sens calme», l'affirmation est plus puissante.

5. L'affirmation doit avoir un sens précis pour la personne qui la dit. Si nous affirmons que nous avons tout ce dont nous avons besoin pour être heureux ici et maintenant, cette affirmation a un sens précis et devient très importante.

6. Les affirmations doivent être proches de la réalité de la personne qui les dit. En décidant d'affirmer quelque chose, il est nécessaire d'être sûr que cela correspond à notre système de croyances. Les affirmations deviennent fortes et puissantes lorsqu'elles sont proches de notre réalité car cela leur permet de traverser la résistance créée par les programmations du passé.

7. Les affirmations doivent être spécifiques. Lorsqu'une affirmation est trop générale, le système de croyances de la personne qui l'utilise a de la peine à la prendre en compte.

Si par exemple, nous avons eu un conflit avec notre voisin et que c'est devenu difficile pour nous de le saluer, choisir une affirmation telle que: «J'aime mon voisin et toute sa famille», c'est trop vaste et trop général pour être efficace. Il est plus utile de commencer par:

« Quand je vois mon voisin, je me sens calme », c'est plus réaliste, c'est un but atteignable.

Lorsque l'affirmation est spécifique, l'esprit peut l'intégrer plus facilement.

8. Les affirmations doivent être répétées souvent, jusqu'à 100 fois par jour pendant 3 mois. La répétition est, dit-on, la mère de l'apprentissage. Ainsi, quand une affirmation est répétée, elle « s'imprime » dans l'esprit et cette nouvelle pensée prend racine. Le sens de cette affirmation passe du niveau conscient au niveau subconscient par le biais de la répétition.

Les affirmations peuvent être enregistrées sur cassette et écoutées fréquemment. Elles peuvent être chantées, ce que les enfants apprécient particulièrement.

Les deux moments les plus propices pour se répéter des affirmations sont les instants qui suivent le réveil et ceux qui précèdent le sommeil. A ces moments-là, l'affirmation accède directement au subconscient.

Les affirmations sont très utiles parce qu'elles neutralisent les croyances négatives qui sont dans notre cerveau. Il existe plusieurs techniques qui peuvent augmenter notre capacité de les intégrer rapidement et facilement dans notre vie.

Par exemple :

1. Ecrire et dire simultanément l'affirmation pour utiliser deux approches sensorielles.

2. Ecrire et dire l'affirmation puis écouter le dialogue intérieur qui se produit en réponse à l'affirmation.

Il s'agit alors d'écrire les mots et les pensées négatives que nous percevons dans notre dialogue intérieur et de détruire ou de brûler ce qui a été écrit. Ce processus doit être répété jusqu'à ce que l'esprit soit tout à fait calme.

3. Il existe une technique simple et utile qui consiste à joindre l'extrémité du pouce et de l'annulaire de chaque main et de placer l'index et le majeur joints horizontalement au milieu du front au-dessus de chaque œil, ce qui permet d'harmoniser les points liés au relâchement du stress émotionnel.

Le principe est de répéter les affirmations alors que ces points sont maintenus durant quelques instants. Cet exercice, issu de la kinésiologie, facilite l'intégration des affirmations.

Comment utiliser une affirmation

① Choisissez un domaine de votre vie sur lequel vous désirez travailler (relation, travail, estime de soi).

② Décidez ce que vous voulez voir se produire dans cette dimension de votre vie.

③ Formulez une phrase simple qui exprime le but recherché.

④ Laissez-vous « habiter » par cette affirmation.

⑤ Répétez cette affirmation : en vous réveillant et avant de vous endormir.
⑥ Soyez patient et persévérant.

Le rôle des affirmations en vue d'augmenter l'estime de soi

Le pouvoir des mots est extraordinaire. Les mots peuvent influencer le corps et nous pouvons observer cela dans un simple exercice de « test musculaire ». Il s'agit de demander à une personne de tenir son bras étendu en face d'elle puis de lui demander de résister alors que nous tentons de pousser d'une manière ferme sur le bras pour le faire descendre. Ceci donne une force de base. Ensuite la personne testée dit à haute voix, trois fois : « Je suis faible et sans mérite. » A ce moment-là, le bras est à nouveau testé et il s'est affaibli visiblement. La personne dit alors : « J'ai de la force et du mérite » et le bras retrouve sa force initiale. Le domaine de la psycho-neuro-immunologie nous dit que l'esprit et les émotions ont un impact important sur le système nerveux et sur le système immunitaire. Ainsi des sentiments tels que la dépression, le désespoir, une mauvaise estime de soi constante affaiblissent l'organisme alors que l'espoir, la joie, une bonne estime de soi le fortifient.

Les affirmations sont en quelque sorte des phrases qui disent oui à l'être intérieur d'une personne. Elles sont donc des moyens très efficaces de bâtir l'estime de soi. L'acceptation de son être intérieur peut être développée en disant: «Je suis moi et je suis bien.» D'autres affirmations telles que: «Je m'aime moi-même», «Je suis aimable et capable», «Je suis mon meilleur ami» ou «Je suis un bon compagnon pour moi-même», «Je suis spéciale», «Je suis unique», «J'aime être moi», «Je m'aime comme je suis», peuvent être utilisées pour augmenter l'estime de soi chez les enfants comme chez les adultes. La honte a été identifiée comme l'un des aspects qui contribue à la détresse émotionnelle, à une mauvaise estime de soi et à toutes sortes de problèmes de comportement. Dans son livre, *Guérir la honte qui nous lie,* John Bradshaw identifie deux types de honte: la honte saine et la honte toxique.

La honte saine est une émotion humaine naturelle qui provient du fait que nous nous sentons exposé, embarrassé ou surpris. La honte toxique apparaît lorsqu'un enfant intériorise des sentiments négatifs et se perçoit comme un être humain raté. Un enfant qui se sent coupable dit: «J'ai fait une erreur», mais un enfant qui ressent de la honte dit: «Je suis nul». La culpabilité concerne ce que nous faisons et ce qui est faux alors que la honte concerne le fait de se sentir inadéquat.

Les affirmations sont une technique simple et efficace permettant de surmonter le dialogue intérieur qui engendre la honte. Chaque fois que nous entendons quelque chose qui contribue à nous humilier dans notre dialogue intérieur, nous pouvons dire: «Non, ce n'est pas vrai». Ces mots annulent le dialogue intérieur négatif. Nous pouvons ensuite formuler une affirmation positive qui remplace la pensée honteuse par une pensée d'amour. Par exemple:

«Je ne suis pas bon.» __________«Je suis OK.»
«Je me hais.» ______«Je m'aime moi-même.»
«Je suis gros.» __________«J'aime mon corps.»
«Je suis stupide.» ________«Je suis intelligent.»
«Je suis un perdant.» ___«Je suis un gagnant.»

Comment pouvons-nous savoir que l'affirmation est efficace?

Quand le but recherché par l'affirmation est ressenti ou atteint, nous savons alors que l'affirmation est efficace. Si le résultat que nous recherchons se trouve dans le monde extérieur, il devient visible lorsqu'il est atteint. Si ce que nous recherchons est un changement intérieur, nous saurons que nous l'avons atteint par un sentiment de bien-être intérieur. C'est à ce moment-là que nous déciderons d'aller vers un nouveau but.

D'autres suggestions sur la manière d'utiliser les affirmations pour augmenter l'estime de soi

Il est possible de les enregistrer sur cassette en utilisant une musique de relaxation comme fond musical.

Nous pouvons chanter les affirmations.

Nous pouvons dessiner les affirmations sur papier et les mettre au plafond au-dessus de notre lit de façon à ce que ce soit la première chose que nous voyions le matin en nous réveillant et la dernière chose avant de nous endormir.

Nous pouvons aussi écrire l'affirmation sur une carte que nous pouvons placer dans notre portefeuille ou coller sur la porte du réfrigérateur.

L'utilisation des affirmations représente un moyen simple et efficace parmi d'autres d'augmenter l'estime de soi et qui convient à de nombreuses personnes.

Le lâcher-prise des comportements négatifs

Lorsqu'une personne a une mauvaise estime d'elle-même, elle a tendance à se comparer aux autres, à se dévaloriser, à se critiquer et à critiquer les autres, à dire du mal de son entourage, à colporter des informations négatives non vérifiées visant à diminuer les autres pour se sentir un peu mieux qu'eux. Ce type de comportement n'atteint pas le but recherché, celui qui s'y adonne ne se sent pas mieux, au contraire.

C'est pourquoi vouloir augmenter l'estime de soi suppose de prendre la décision de :

- renoncer à toute critique à son propre égard et toute critique à l'égard des autres.
- cesser de se comparer aux autres.

Exemple d'une chanson qui peut être utilisée pour augmenter l'estime de soi
(sur l'air de *When the saints go marching in*)

1. Je m'aime moi-même
   tel que je suis
   Il n'y a rien, rien à changer
   Je serai toujours le moi parfait
   Il n'y a rien, rien à changer
   Je suis magnifique
   Je suis capable
   d'être le meilleur moi possible
   et je m'aime moi-même tel que je suis
   Je m'aime moi-même tel que je suis

2. Je t'aime toi-même
   tel que tu es
   Il n'y a rien, rien à changer.
   Tu seras toujours le toi parfait
   Il n'y a rien, rien à changer.
   Tu es magnifique.
   Tu es capable
   d'être le meilleur toi possible
   et je t'aime toi-même tel que tu es
   Je t'aime toi-même tel que tu es

3. Je m'aime moi-même
tel que je suis
Il n'y a rien, rien à changer
J'ai quand même envie de grandir
J'ai quand même envie de grandir
Quand je suis certain
d'être capable,
d'être capable et merveilleux,
les changements extérieurs arrivent.
les changements extérieurs arrivent.

4. J'aime le monde tel qu'il est.
Il n'y a rien, rien à changer.
Je sais que tout
ce que je juge
est exprimé par des gens tels que moi
J'informe le monde
que seul l'amour
peut faire régner la paix sur terre
Et j'aime le monde tel qu'il est
J'aime le monde tel qu'il est.

JAI MICHAEL JOSEFS, 1979

JE M'ACCEPTE COMME JE SUIS

A agrandir, colorier et afficher dans un endroit visible…

- lâcher prise de l'habitude de blâmer et de se plaindre.

Il s'agit de prêter attention à ce que nous disons, de refuser de parler des personnes absentes derrière leur dos, de se dévaloriser ou de les dévaloriser.

Lâcher prise de comportements négatifs, c'est faire passer ce que nous disons à travers les trois filtres de Socrate :

- Est-ce que ce que je veux dire est vrai ?
- Est-ce que ce que je veux dire fait preuve de bonté ?
- Est-ce que ce que je veux dire est utile aux autres ?

Lorsque ce que je veux dire ne passe pas par ces trois filtres, je reste silencieux.

Au lieu des comportements décrits ci-dessus qui influencent négativement l'estime de soi, il est utile de leur substituer d'autres comportements positifs tels que :

La gratitude

Centrée sur ce qui ne va pas dans sa vie, la personne qui a une mauvaise estime d'elle-même voit le verre à moitié vide au lieu de le voir à moitié plein. C'est pourquoi, pratiquer la gratitude est un antidote puissant. Il s'agit de décider de regarder tout ce que la vie apporte de positif, de prendre conscience de tout ce que nous avons reçu de notre entourage et de formuler cette gratitude, de manifester notre reconnaissance à tous ceux avec qui nous entrons en contact, à tous ceux avec qui nous partageons notre vie.

La générosité

Prendre conscience de tout ce que nous avons et en être reconnaissant nous amène à voir que nous pouvons donner sans crainte de manquer. Au contraire, donner c'est créer de l'espace pour mieux recevoir.

Pratiquer la générosité est l'un des moyens d'augmenter l'estime de soi; nous pouvons donner:

- de l'amour
- du temps
- de l'attention
- de l'aide
- des objets
- de l'argent
- des affirmations positives.

Il est toujours possible de donner en commençant aujourd'hui, maintenant.

La prise de décision

Etre en route, avoir décidé d'un but à atteindre, mettre tout en œuvre pour atteindre ce but est un moyen important d'augmenter l'estime de soi.

Comme nous l'avons vu dans la définition de l'estime de soi, celle-ci est composée de deux éléments : la conviction intime d'avoir de la valeur en tant que personne et le sentiment d'être compétent.

Choisir un but, mettre tout en route pour l'atteindre et réussir à l'atteindre, c'est augmenter son estime de soi.

Ce n'est pas l'importance du but qui compte mais bien la réalisation du projet. Qu'il s'agisse d'un but personnel – comme s'arrêter de fumer, perdre du poids, s'affirmer dans une situation donnée, marcher vingt minutes par jour – ou d'un but professionnel – tel que passer un examen ou obtenir un emploi –, l'important est d'être capable d'atteindre son but.

Certains se découragent parce qu'ils choisissent des buts irréalistes ou encore parce qu'ils voudraient réussir du premier coup et rapidement.

Il est important de se fixer des buts précis, atteignables afin de mettre toutes les chances de son côté. Lorsqu'un but est atteint, nous pouvons passer au suivant. Plus il y a de réussite, plus l'estime de soi augmente.

L'être humain est fait pour être « en route », pour croître, pour se dépasser, c'est ainsi qu'il augmente et maintient son estime de lui-même.

Poème pour celui qui veut améliorer son estime de lui-même

Je suis ce que je suis
En ayant foi en la beauté qui m'habite,
je développe la confiance
Dans la douceur, je trouve la force
Dans le silence, je marche avec les dieux
Dans la paix, je me comprends moi-même et
je comprends le monde
Je m'éloigne du conflit
Je trouve la liberté dans le lâcher-prise
C'est en respectant toute chose que je me respecte
moi-même
C'est dans la dévotion que j'honore mon courage
Dans l'éternité, j'ai de la compassion pour la
nature de toutes choses
Dans l'amour, j'accepte inconditionnellement
l'évolution des autres
Dans la liberté, j'ai le pouvoir
Dans mon individualité, j'exprime la force
divine qui m'habite
Dans le service d'autrui, je donne ce que je suis
devenu
Je suis ce que je suis
Eternel, immortel, universel et infini.

STUART WILDE

La visualisation créatrice

Nous voudrions partager avec vous une petite histoire vraie. Une femme d'un certain âge avait décidé de passer son permis de conduire. Elle avait pris de nombreuses leçons et son moniteur d'auto-école considérait qu'elle était prête.

Cependant, lorsque nous l'avions rencontrée, elle nous avait dit: «Je me vois rater; vous savez, j'ai raté tellement de choses dans ma vie.» Malgré les encouragements de ceux qui l'entouraient, l'examen arriva et Mme X. ne put réussir l'examen. «Je le savais!» disait-elle.

Elle savait! Ainsi, elle avait construit dans son esprit une image de son échec, elle se «voyait rater». En fait, ce que nous savons aujourd'hui, et que malheureusement Mme X. ne savait pas, c'est que les images et les pensées qui habitent notre cerveau sont génératrices d'événements dans notre vie. Ce que nous construisons dans notre esprit constitue la base d'une sorte de prédiction qui va se réaliser.

La visualisation, comme les affirmations, agit sur la partie inconsciente de notre cerveau et produit des effets au niveau conscient. D'après le chercheur Arthur Winkler, l'un des aspects les plus importants de l'inconscient est qu'il répond à la suggestion. Il peut être influencé et dirigé et, ainsi, à son tour il est capable d'influencer la dimension physique de l'organisme.

La visualisation créatrice, nommée aussi «imagerie mentale», est constituée d'images intérieures créées consciemment par la personne qui « visualise » à partir de son imagination. Ces images sont en général accompagnées de sons, d'odeurs, de goûts ou de perceptions kinesthésiques. Il n'est donc pas du tout indispensable de voir l'image mentalement.

La visualisation créatrice repose sur trois principes importants :

1. Nos croyances à propos de nous-même et du monde gouvernent notre expérience.
2. Nos images mentales sont des prédictions de ce qui va nous arriver.
3. Ce que nous attendons de notre vie est ce que nous en obtenons.

Visualiser, c'est en quelque sorte se passer un film personnel à l'intérieur du cerveau, un film dont nous sommes le producteur, le directeur et l'acteur principal tout à la fois.

Visualiser permet :

- d'amener dans le champ de conscience ce que nous désirons réellement, par exemple, de réussir une tâche ou de communiquer avec son conjoint.
- d'être en contact avec les pouvoirs de notre imagination.
- de laisser émerger des informations provenant de l'inconscient.
- d'influencer les fonctions de l'organisme.

Comment la visualisation créatrice fonctionne-t-elle ?

1. *L'univers physique est « énergie ».* Si notre monde nous apparaît comme solide et fait de choses distinctes les unes des autres, il est, à des niveaux plus subtils, formé de particules de plus en plus fines. Cette énergie existe aussi au niveau de nos pensées et, de cette manière, nos pensées affectent notre organisme et le monde qui nous entoure.

2. *L'énergie est « magnétique ».* Une énergie d'une qualité ou d'une vibration particulière tend à attirer l'énergie de même qualité et de même vibration. C'est ce qui se passe lorsque nous rencontrons « par hasard » quelqu'un à qui nous pensions ou lorsque nous « tombons » sur un livre contenant l'information dont nous avions précisément besoin.

3. *Nous attirons* à nous ce à quoi nous pensons *le plus*, ce que nous croyons avec *le plus* de conviction, ce que nous souhaitons *le plus* profondément.

Quand et comment utiliser la visualisation ?

On peut utiliser la visualisation pour augmenter sa qualité de vie et son estime de soi, améliorer une situation relationnelle difficile, se préparer à réussir, retrouver la santé.

La visualisation n'exige pas d'expérience particulière ni d'équipement spécialisé. Au début, il peut être utile de choisir un lieu où la relaxation est possible sans être dérangé. En position confortable, il suffit de se détendre en comptant lentement de 10 à 1, puis de passer à la phase « visualisation ».

Notre bonheur et notre malheur sont en relation avec ce que nous abritons dans notre esprit. ce sont souvent les souvenirs douloureux de l'enfance qui nous empêchent d'être heureux et d'avoir une bonne estime de nous-même.

Il est possible de guérir cet enfant intérieur afin de rendre solide l'estime de soi et c'est ce que nous vous proposons. Il ne s'agit pas d'une guérison miraculeuse mais bien d'une cicatrisation graduelle, couche après couche.

Nous vous suggérons d'enregistrer le texte suivant ou de demander à quelqu'un de vous le lire lentement.

« Vous laissez vos yeux se fermer... Vous imaginez qu'une onde de détente entre en vous par le sommet de votre tête, qu'elle se répand dans tout votre corps, dans tous vos muscles de la tête jusqu'aux orteils. Vous êtes détendu, tout à fait détendu, relaxé, tout à fait relaxé...

Imaginez maintenant que vous êtes un petit bébé. Ce bébé que vous étiez **entre 0 et 6 mois**... Regardez cet enfant, si plein de tout le potentiel qu'il pourra développer, ce bébé qui attend *tout* de ceux qui l'entourent, ce petit enfant qui fait confiance, qui attend d'être aimé, nourri, protégé.

Comment étiez-vous à cet âge-là ? De quelle manière étiez-vous habillé ? Comment vous voyez-vous d'après les photos qui furent prises de vous ? Aviez-vous des frères et des sœurs ? Où viviez-vous ?...

Imaginez maintenant que la grande personne que vous êtes maintenant prend ce bébé dans ses bras avec beaucoup de tendresse et lui dit :

> ... Dites votre prénom ...
> Je suis heureux que tu sois ici
> Je te protégerai
> Tu as le droit d'être proche des autres
> Tu as le droit d'être touché avec tendresse
> Tes besoins sont accueillis avec amour
> Je suis là pour te protéger
> Je resterai avec toi jusqu'à ce que tu n'aies plus besoin de moi
> Il y a assez d'amour pour tous, tu peux faire confiance
> Je t'aime.

Et après lui avoir dit toutes ces choses importantes, vous reposez tendrement cet enfant dans son berceau afin qu'il se repose...

Imaginez l'enfant que vous étiez **entre 6 mois et 3 ans**... Regardez ce merveilleux petit enfant qui apprend à marcher, à parler, qui commence à exercer son pouvoir sur le monde qui l'entoure. Cet enfant si plein de vie, de confiance. Voyez-le faire ses premiers pas, dire ses premiers mots...

Comment est-il habillé ? Où joue-t-il ?...

Imaginez maintenant que cet enfant vient vers vous, il vous tend les bras et vous le prenez contre vous... Vous lui dites votre amour et, tout en le tenant contre vous, alors qu'il met sa tête sur votre épaule, vous lui dites tendrement :

> ...Dites votre prénom...
> Tu es important pour moi
> Tu as le droit de dire non
> Tu as le droit de faire les choses tout seul
> Tu as le droit d'essayer et de ne pas réussir
> Même si tu te rebelles, je reste avec toi, je ne te rejette pas et je ne me moque pas de toi
> Tu as le droit d'être qui tu es
> Je te protège, je t'aime
> Tu as le droit d'explorer, de mettre du désordre, de te mouvoir
> Je t'accepte quoi que tu fasses...

Puis vous posez cet enfant sur le sol, sur ses petits pieds et vous jouez avec lui jusqu'à ce qu'il décide de faire autre chose et là, vous le laissez aller.

Puis vous prenez contact avec l'enfant que vous étiez **entre 3 et 6 ans**, cet enfant si vif, si sensible qui découvre le monde, qui découvre son corps, voyez-le et approchez-vous de lui, apprivoisez-le et jouez avec lui, puis prenez-le sur vos genoux et dites-lui :

> ...votre prénom...
> Je suis fier de toi, je t'accepte
> Tu es important pour moi

J'aime que tu explores, que tu expérimentes
et que tu découvres tout ce qui t'entoure
J'aime la personne que tu es...

Puis vous proposez à cet enfant de lui raconter une histoire, s'il en a envie et vous le laissez ensuite aller jouer.

C'est ensuite, avec l'enfant que vous étiez **entre 6 et 12 ans** que vous prenez contact. Cet enfant qui va à l'école et qui peut-être y vit des événements difficiles, cet enfant qui grandit si vite et qui a pourtant tant besoin de support et d'amour. Vous le regardez avec tendresse, vous l'invitez à parler avec vous et assis face à lui, les yeux dans les yeux, vous lui dites:

...votre prénom...
J'aime être avec toi
J'aime te voir grandir
Je sais que tu es capable de faire ce que tu as envie de faire
J'ai confiance en toi
Je suis prêt à t'aider si tu as besoin de moi.

Puis, vous l'écoutez vous raconter ce qu'il vit, vous lui offrez votre attention et vous le laissez s'en aller lorsqu'il le désire...

Tout doucement, vous revenez à votre respiration, vous reprenez conscience de votre corps, de l'endroit où vous vous trouvez... et, rempli de paix, de sérénité, vous ouvrez doucement les yeux...

Conclusion

L'estime de soi est le viatique le plus fondamental que des parents peuvent donner à leurs enfants à travers l'éducation. Une bonne estime de soi permet de s'aimer soi-même, de se comprendre, de se sentir en sécurité, d'accepter ses forces et ses faiblesses, de se sentir serein, positif et paisible, de se comporter d'une manière adéquate et d'être compétent.

Trop souvent, malheureusement, l'éducation d'un enfant ne lui permet pas de construire une bonne estime de lui-même ce qui l'amène à être un adulte qui se sent insignifiant, anxieux, coupable, incompris, pessimiste et solitaire. Heureusement, il est toujours possible de changer cette situation. Il s'agit de prendre conscience de ce qui est, d'assumer la responsabilité de sa vie, de changer son dialogue intérieur, de modifier ses pensées erronées. Il s'agit encore de développer sa capacité de compassion, d'honorer ses convictions et de changer ses comportements en changeant ses pensées, son langage, en pratiquant la gratitude, les affirmations, la visualisation et en se fixant des buts.

Tout commence par la prise de conscience et par la décision de changer quelque chose, d'aller de l'avant, puis de choisir à tout instant de voir ce qui naît, ce qui croît, ce qui advient et de s'en servir pour continuer.

Finalement, développer l'estime de soi, c'est reconnaître et développer l'estime du Soi, de son centre, de son âme. C'est être convaincu qu'indépendamment des circonstances de notre naissance, de notre enfance et de notre vie, nous sommes des êtres créés à l'image de Dieu, uniques et irremplaçables et que cela permet de développer en soi la certitude d'avoir de la valeur et d'être digne de s'aimer et d'être aimé.

□

Ressources

Rosette Poletti & Barbara Dobbs

Tant de choses (matérielles entre autres) encombrent nos vies ! Ne vaudrait-il pas mieux être « tout » ce que nous pouvons être ! Pour nous-mêmes, bien sûr, mais aussi pour tous ceux qui nous entourent et pour la société dans laquelle nous vivons. Toutes les pensées rassemblées dans ce livre invitent à la méditation... À certains moments, l'une fera sens plus qu'une autre ; elle sera comme l'eau vive que l'on puise pour se ressourcer avant de continuer son chemin...

224 pages • Prix : 29 € / 49,90 CHF

Achevé d'imprimer sur rotative par l'Imprimerie Darantiere à Dijon-Quetigny en mars 2009 - Dépôt légal : octobre 1998 - N° d'impression : 29-0394

Imprimé en France

Dans le cadre de sa politique de développement durable, l'imprimerie Darantiere a été référencée IMPRIM'VERT® par son organisme consulaire de tutelle. Cette marque garantit que l'imprimeur respecte un cycle complet de récupération et de traçabilité de l'ensemble de ses déchets.